Este libro es de

_____

(Tu nombre)

A Irene O'Garden y Walt Whitman
—J. Marzollo.

A mi sobrina Emma, con cariño
—J. Moffatt.

Originally published in English as *I Am Water*.

Traducido por María Rebeca Olagaray

ISBN 0-7172-8843-9

12 11 10 9 8 7 6 5 4 3 2   02 03 04 05 06

Printed in the U.S.A.   23

First Scholastic Spanish printing, March 1999

Soy el agua

por Jean Marzollo
Ilustrado por Judith Moffatt

SCHOLASTIC INC. Cartwheel B·O·O·K·S ®

New York Toronto London Auckland Sydney
Mexico City New Delhi Hong Kong

Mírame.
Soy el agua.
Soy hogar para los peces.

Soy lluvia para la tierra.

Soy bebida para la gente.

Soy agua para el baño
de los bebés.

Yo soy todo eso
y mucho más.

Soy agua para cocinar.

Soy hielo para refrescar.

Soy nieve para deslizarse.

Soy piscina
para chapotear.

Yo soy todo eso
y mucho más.

Soy charco para las botas.

Soy río para los barcos.

Soy lago para nadar.

Soy ola para contemplar.

Yo soy eso
y mucho más.

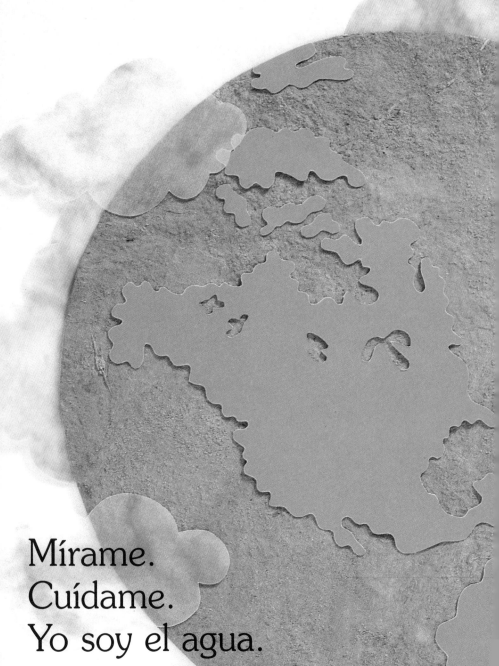

Mírame.
Cuídame.
Yo soy el agua.